Émili

quand ... op

**EN CAS DE PROBLÈME D'ALCOOL DANS LA FAMILLE...
POUR SE FAIRE AIDER, RENCONTRER DES GENS QUI VIVENT
LES MÊMES CHOSES ET SE SENTIR MOINS SEUL...**

Les Alcooliques Anonymes
(organisation mondiale pour les malades alcooliques)
Tél : 0820 32 68 83 / www.alcooliques-anonymes.fr

les groupes **Al-Anon,** pour les familles et les amis
et les groupes **Alateen,** pour les enfants et les adolescents
Tél : 01 42 80 17 89
http://assoc.wanadoo.fr/al-anon.alateen.france

**Pour trouver dans sa ville les centres d'alcoologie,
les services des hôpitaux, les autres associations d'anciens buveurs
comme Alcool Assistance, Vie Libre, etc...**

France
Ecoute Alcool (Drogue Alcool Tabac Info Service) :
Tél : 0800 23 13 13 (gratuit d'un poste fixe)

Association Nationale de Prévention en Alcoologie et Addictologie :
www.anpaa.asso.fr / Tél : 01 42 33 51 04

Société Française d'Alcoologie : www.sfalcoologie.asso.fr

Dans le 92, par exemple, l'Association Germinal a mis en place
un groupe d'enfants : dossourire@wanadoo.fr

Suisse
l'Institut suisse de prévention de l'alcoolisme et autres toxicomanies :
www.ispa.ch

Québec
Centre Canadien de Lutte contre l'Alcoolisme et les Toxicomanies :
www.ccsa.ca

Belgique
la Fédération Bruxelloise Francophone des Institutions pour Toxicomanes :
www.feditobxl.be

Série dirigée par Dominique de Saint Mars

© Calligram 2006
Tous droits réservés pour tous pays
Imprimé en Italie
ISBN : 2-88480-253-3

Ainsi va la vie

Émilie n'aime pas quand sa mère boit trop

Dominique de Saint Mars

Serge Bloch

CALLIGRAM

CHRISTIAN GALLIMARD

Trop cool que je vienne dormir chez toi, Émilie ! On va bien s'amuser !

Euh... je ne sais pas Lili... ma mère est fatiguée ces temps-ci...

Oh, si, je viens ! J'ai prévenu, il n'y a personne chez moi !

Bon...

TUT !
TUT !

8

9

12

Tu m'accompagnes aux toilettes, j'ai pas envie d'y aller seule ?

Venez danser les filles, j'adore cette chanson !

Viens, elle est rigolote, ta mère !

15

Mais pourquoi elle boit autant ?

Je sais pas. Elle est triste de chagrin de quand elle était petite... Pour oublier... Je ne sais pas si elle est contente d'avoir une fille comme moi...

Que faire quand quelqu'un qu'on aime souffre... ? Tu lui dis que tu l'aimes ?

Oui, mais ça ne sert à rien !

T'Y PEUX RIEN, tu es trop petite et c'est pas de ta faute ! Mais elle te dit qu'elle t'aime ?

Oui... quand elle a bu.

Et tu lui dis que ça te fait souffrir ?

J'ose pas...

Je peux en parler à maman si tu veux ?

Non, À PERSONNE ! et en classe non plus !

17

18

19

On ne le dira qu'à Max... Il est fort en gym...

Je comprends, c'est d'accord ! Je vous guide !

Non, je ne vais jamais y arriver ! Je ne suis pas bonne !

Mais si, t'es presque bonne ! Presque autant que moi !

LE LENDEMAIN, À L'ÉCOLE, PAS DE TEMPS À PERDRE, IL FAUT S'ENTRAÎNER...

Ta mère a failli m'écraser ! Faut que tu lui dises d'arrêter de picoler !

C'est quoi, ce numéro de cirque ?

J'ai rien dit, je te jure !

Je comprends que tu sois comme ça, avec la mère que t'as !

Faux !

T'inquiète ! Ce sont des imbéciles !

Laissez-la tranquille ! ... Ou je m'énerve !

J'ai toujours pensé qu'Alex était un peu amoureux d'Émilie...

21

22

Papa, ça fait le deuxième verre ! Il faudrait interdire l'alcool et la cigarette ! Ça fait du mal !

On n'aime pas trop quand tu bois...

Attendez, c'est magnifique, le vin, le raisin, les vignes, des terres chauffées par le soleil...

Bon, alors ça suffit pour ce soir !

Vous nous prenez pour des poivrots !

C'est comme le chocolat, on croit qu'on peut s'arrêter et après on est malade !

L'eau, c'est mieux ! Dedans il y a du FER, et le FER ça rend FORT !

Ne vous inquiétez pas, on boit peu, nous... Qu'est-ce qui vous prend ?

23

À la télé, ils ont dit que quelqu'un avait provoqué un accident, qu'il avait de l'alcool dans le sang...

Quand t'es « bourré », t'as la tête qui tourne...

On peut mourir à cause de l'alcool ?

Oui ! Et les mamans enceintes ne doivent pas en boire...

Ça rend le bébé ivre !?

Oui, c'est dangereux pour lui !

C'est une maladie, l'alcoolisme...

C'est contagieux ?

Non ! C'est une maladie de l'esprit... quand on n'est pas heureux de vivre...

Mais pourquoi toutes ces questions ?

24

25

Jean, écoute... On a une voisine... Ils viennent de déménager... Faut qu'on l'aide ! Comment faire ?

Jeannot, mon frérot, va vous aider pour le spectacle. Il s'y connaît ! C'est un grand sportif !

Je l'adore, Tonton Jeannot !

Maman, t'as de la chance d'avoir un frère comme ça !

Maman, on va te faire une surprise !

29

31

MAMAN, REGARDE-MOI !

Émilie, arrête !

Ça te fait du bien !? Et bien moi aussi... ! J'ai plus envie de souffrir, d'avoir honte ! J'en ai marre de ma mère !

Moi, je t'ai regardée Émilie, tu étais superbe !

Mais qu'est-ce que tu me racontes ? J'ai mis ma plus belle robe pour toi !

35

Non, attendez, asseyez-vous un peu... Ah, le premier verre, c'est le verre de trop !

Comment vous savez ça ?

Moi ? Je suis alcoolique ! Je ne bois plus... mais on n'est jamais guéri !

TOI ?... Tonton Jeannot, un champion comme toi !

C'est vrai ! Je m'en sors grâce aux réunions, avec d'autres alcooliques. Ils me comprennent, ils ne me jugent pas. Un médecin m'a aidé aussi.

Moi, j'arrive pas à l'aider ! J'ai essayé pourtant...

Il y a des groupes pour les maris, les femmes...

Tu m'as aidé à en parler ! Merci, ma fille ! Mais je vais me soigner... et tu pourras enfin penser à toi et faire ce qui te plaît !

Qu'est-ce qui te ferait plaisir ce soir, ma doudou ?

Dormir chez Max et Lili !

Tu voulais tout faire à sa place pour l'aider... Mais là, c'est elle qui va s'occuper d'ELLE et de TOI !

Comme toutes les autres mamans...

Je vous appelle ! On se prendra un verr... euh non... un café !

40

Et toi...

Est-ce qu'il t'est arrivé la même histoire qu'à Émilie ?

Le reconnaît-il ? Essaies-tu de lui prouver qu'il boit en cachette, de l'empêcher, de l'aider, de ne pas le laisser seul ?

Il est gai, puis violent ? Ressens-tu de la peur, de la haine, de l'amour ? As-tu de bons moments avec lui ?

Le caches-tu ? On s'est moqué de toi ? As-tu honte de ta famille ? Aimerais-tu une maison comme celle de tes amis ?

Penses-tu que c'est de ta faute, qu'il ne t'aime pas assez pour arrêter, que tu ne lui suffis pas ? Te venges-tu sur les autres ?

Ton autre parent ne s'en rend pas compte ? Il s'énerve vite ? Fait-il assez attention à toi ? Est-il trop exigeant ?

On ne peut changer que soi même !

Arrives-tu à t'amuser, à te concentrer ? As-tu trouvé une aide : grand-parent ? parent d'ami ? groupe ? psy ?

Il trouve que le vin c'est bon pour la santé ? Ça t'inquiète parfois ? Ou bien il ne boit plus car il sait qu'il ne doit pas ?

Sais-tu que l'alcoolisme touche : hommes, femmes, sportifs, jeunes, vieux, pauvres, riches, intellos...

Tes parents ont eu une enfance gaie ? Ils ont confiance en eux, même s'ils ont des problèmes ? Ils te font confiance ?

Un de tes parents a un autre problème ?
Il est déprimé, malade, handicapé, souvent absent...

Il n'est jamais content ? Il a des problèmes de travail ?
Il est fâché avec toute la famille ? avec les voisins ?

Tu connais un jeune qui boit trop et qui prend de la drogue
en plus ? Ça te fait peur ? Tu ne veux pas lui ressembler ?

Petit dico Max et Lili
sur l'alcoolisme

Agressivité : L'alcool transforme, pour un moment, une personne gentille en une personne méchante ou violente.

Alcool : Produit de la fermentation des fruits qui a un effet rapide sur le corps et, en grande quantité, change la façon d'être.

Amour : On peut se sentir mal-aimé par un parent. Mais on peut l'aimer toujours, en comprenant qu'il ne peut pas faire autrement et en trouvant d'autres gens qui vous font du bien. Ça permet de faire la paix dans son cœur et de s'aimer soi-même !

Colère : Ça fait du bien de dire ce qu'on a sur le cœur, mais si on le dit mal, ça fait du mal et plus personne ne s'écoute ! On peut dire ce que l'on pense sans colère même quand on veut dire non !

Confiance : En partageant ses problèmes avec les autres, au lieu de souffrir tout seul, on peut apprendre que personne n'est parfait, retrouver confiance en soi et dans les autres.

Dépendant : Quand un alcoolique arrête de boire, ça lui manque terriblement et il recommence pour ne plus souffrir.

Déprimé : On se sent nul, on pense que personne ne vous aime, on se renferme... Tous les gens déprimés ne boivent pas, mais la plupart des alcooliques ressentent des périodes de dépression, d'anxiété et la peur des autres.

Maladie : L'alcoolisme est une maladie qu'on peut arrêter mais on n'en est jamais vraiment guéri.

Obsession : On ne peut s'empêcher d'y penser ! Un alcoolique ne peut pas boire comme les autres : s'il commence, il ne peut pas s'arrêter même s'il l'a décidé... Il en a besoin pour affronter la vie.

Responsabilité : Celle d'un enfant est de s'occuper le mieux possible de lui et de son travail. L'enfant doit pouvoir compter sur son parent mais il n'est pas être responsable de son humeur.